Y Llyn Hud

Leena Jamil ✶ Abdulla al-Ameen
addasiad Helen Emanuel Davies

Gomer

Amser maith yn ôl, roedd bachgen o'r enw Sa'ad a merch o'r enw Afnan yn byw mewn gwlad yn llawn o haul ac awelon braf. Brawd a chwaer oedden nhw ac roedden nhw'n byw gyda'u tad, Saleh, yn y rhan harddaf o'r wlad.

‘Hala yw fy enw i a dwi’n byw yn Yemen gyda fy mrodyr, Mohammed ac Anas, ein mam, y storïwraig Leena Jamil, a’n tad, yr arlunydd Abdulla al-Ameen. Cawson ni gymaint o hwyl wrth wrando ar un o straeon Mam, *Y Llyn Hud*, nes i ni ofyn iddi ei hysgrifennu mewn llyfr. Yna gofynnon ni i Dad wneud lluniau i’r llyfr.

Rydyn ni’n gobeithio y bydd plant ym mhobman yn mwynhau’r stori . . . ac yn ei dweud wrth eu ffrindiau amdani!’

Argraffwyd yn 2007 gan Wasg Gomer, Llandysul, Ceredigion SA44 4JL

ISBN 1 84323 783 0 ISBN-13 9781843237839

Mae cofnod catalogio’r gyfrol hon ar gael gan y Llyfrgell Brydeinig.

Diolch i’r sefydliadau a ganlyn am gefnogi cyhoeddiad y llyfr hwn:
ARUP, Celfyddydau & Busnes Cymru Partneriaid Newydd, HRH The Prince of Wales Arts & Kids Foundation a’r Gymdeithas Brydeinig-Yemeni

A&B
Arts & Business New Partners
working together

Y Gymdeithas Brydeinig-Yemeni

Argraffwyd a rhwymwyd gan Wasg Gomer, Llandysul, Ceredigion SA44 4SY

Roedd gan Saleh siop grochenwaith fach ac roedd dyn ifanc o'r enw Ahmad yn ei helpu yn y siop. Byddai Ahmad yn poethi'r ffwrn bob dydd ar gyfer gwneud crochenwaith o bob siâp, maint a lliw. Roedd Saleh ac Ahmad yn grefftwyr da. Byddai pob darn o grochenwaith yn wahanol ac felly roedd pob un yn arbennig iawn.

Un diwrnod, penderfynodd Saleh ei bod yn bryd iddo fynd ar bererindod i'r Mosg Mawr yn Mecca. Roedd yn gwybod y byddai Ahmad yn gofalu am y siop a'r plant. Roedd Ahmad wedi dod at Saleh pan oedd yn fachgen bach. Doedd ganddo ddim mam na thad ac roedd Saleh wedi gofalu amdano fel ei fab ei hun.

Y diwrnod cyn i'r llong hwylio, siaradodd Saleh â'i ddau blentyn. 'Pan fydda i ar fy nhaith, bydd Ahmad yn cymryd fy lle ac yn gofalu amdanoch chi. Rhaid i chi wneud fel y mae'n dweud, bob amser.'

Roedd Sa'ad eisiau i'w dad ddod ag anrheg yn ôl iddo. Ond meddai Afnan, 'Dim ond un peth ydw i eisiau – dy fod ti'n dod adre'n ddiogel.' Gwenodd Saleh.

Y bore wedyn, gwisgodd Saleh ddillad gwyn ac aeth ar fwrdd y llong. Dros y môr y teithiai pererinion yn y dyddiau hynny. Aeth Ahmad gyda Saleh i gario'i fagiau.

Dyn da oedd Ahmad, a gwnaeth bopeth roedd Saleh wedi gofyn iddo'i wneud. Roedd y plant yn ei garu. Un diwrnod, roedden nhw eisiau mynd i nofio yn y llyn. Gofynnodd Afnan i Ahmad, 'Gawn ni fynd i'r llyn?'

'Gofala nad wyt ti'n yfed dŵr y llyn,' meddai Ahmad. 'Dwyt ti ddim eisiau troi'n gasél.'

Dyma Afnan yn addo peidio â gwneud hyn.

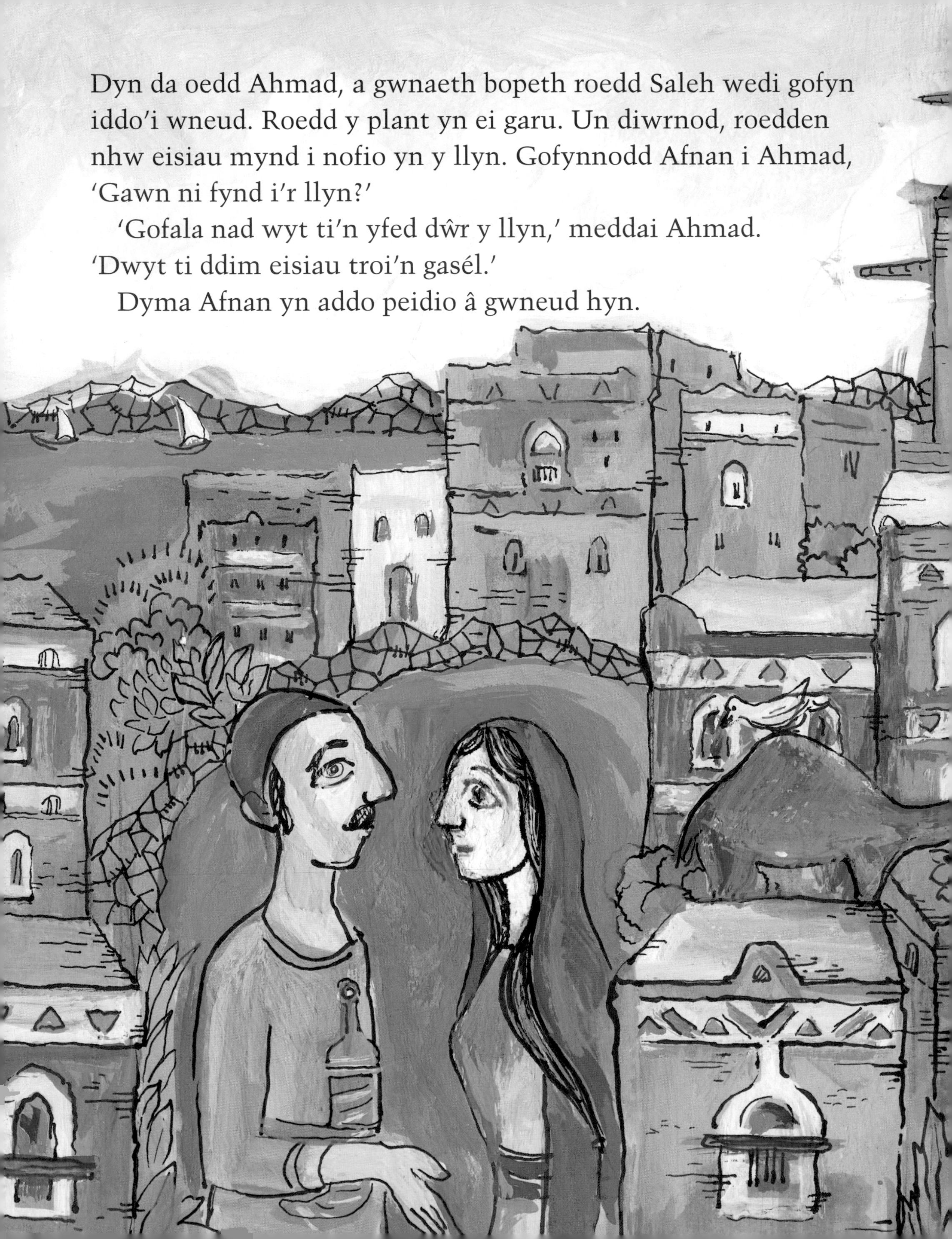

Roedd llawer o byllau dŵr yn y dref heblaw am y llyn – pyllau ar gyfer golchi dillad a rhoi dŵr i'r cnydau.

Aeth y plant i'r llyn a neidio i mewn i'r dŵr. Roedd e'n oer – mm! Dyna braf! Wedyn, eisteddodd Afnan ar lan y llyn a chribo'i gwallt hir tywyll. Ei thad oedd wedi rhoi'r grib iddi.

Yn sydyn, meddai Sa'ad, 'Afnan, mae'r haul yn machlud – rhaid i ni fynd adre.'

Yn nes ymlaen y noson honno, roedd Sa'ad yn canu cân drist ar ei ffliwt pan welodd fod ei chwaer yn crio.

'Beth sy'n bod?' gofynnodd.

'Dwi wedi gadael fy nghrib ar lan y llyn a nawr mae hi'n dywyll.'

Neidiodd Sa'ad ar ei draed ar unwaith. 'Af fi i nôl y grib,' meddai.

I ffwrdd ag ef a galwodd Afnan ar ei ôl, 'Paid â rhedeg, Sa'ad. Falle byddi di'n teimlo'n sychedig ac eisiau yfed dŵr y llyn.'

'Paid â phoeni. Bydda i'n ofalus,' atebodd Sa'ad a diflannodd i'r tywyllwch.

Pan gyrhaeddodd y llyn, ni allai weld y grib am dipyn. Roedd hi'n dywyll ac roedd cymylau'n croesi'r lleuad. Ond pan ddaeth y lleuad i'r golwg y tu ôl i'r cymylau, gwelodd Sa'ad rywbeth ifori'n sgleinio ar y ddaear – dyna grib ei chwaer! Cododd y grib yn ofalus ac ar unwaith teimlodd yn sychedig ofnadwy. Edrychodd ar y dŵr. 'Hen chwedlau wir! Dim ond codi ofn ar blant maen nhw,' meddyliodd. Penliniodd i yfed peth o ddŵr y llyn.

Diflannodd y bachgen ar unwaith – ac yn ei le roedd gasél. Edrychodd Sa'ad ar y dŵr eto. Roedd yn gwybod nawr bod yr hen chwedlau'n wir. 'Dylwn i fod wedi gwrando ar Afnan!' meddyliodd.

Roedd yr anifeiliaid eraill yn teimlo trueni drosto. 'Tybed allwn ni ei helpu?' meddai'r aderyn.

'Hwyrach nad oedd e'n gwybod am ddŵr y llyn,' meddai'r crwban.

Edrychodd Sa'ad ar ei lun yn y dŵr. 'Sut galla i fynd adre fel hyn?' meddyliodd. 'Falle dylwn i fynd allan i'r anialwch a dysgu byw fel gasél. Byddai hynny'n gyffrous!'

Yna cofiodd am ei chwaer. 'Ond beth fydd yn digwydd i Afnan os nad ydw i'n mynd adre?'

Pan welodd hi ei brawd, ni allai Afnan gredu ei llygaid. Ond roedd y rhybudd yn y chwedl yn glir, ac roedd ei chrib hi gan y gasél.

'Pam y gwnest ti yfed dŵr y llyn?' gofynnodd i'w brawd.

'Doeddwn i ddim yn credu'r stori,' meddai'r gasél gan syllu arni'n drist.

Y noson honno, doedd dim un ohonyn nhw'n gallu cysgu. Doedd Afnan ddim yn gwybod sut y gallai hi egluro i'w thad beth oedd wedi digwydd.

Roedd Ahmad yn dweud y drefn wrthi am adael i Sa'ad fynd yn ôl i'r llyn ar ei ben ei hun – a heb ganiatâd.

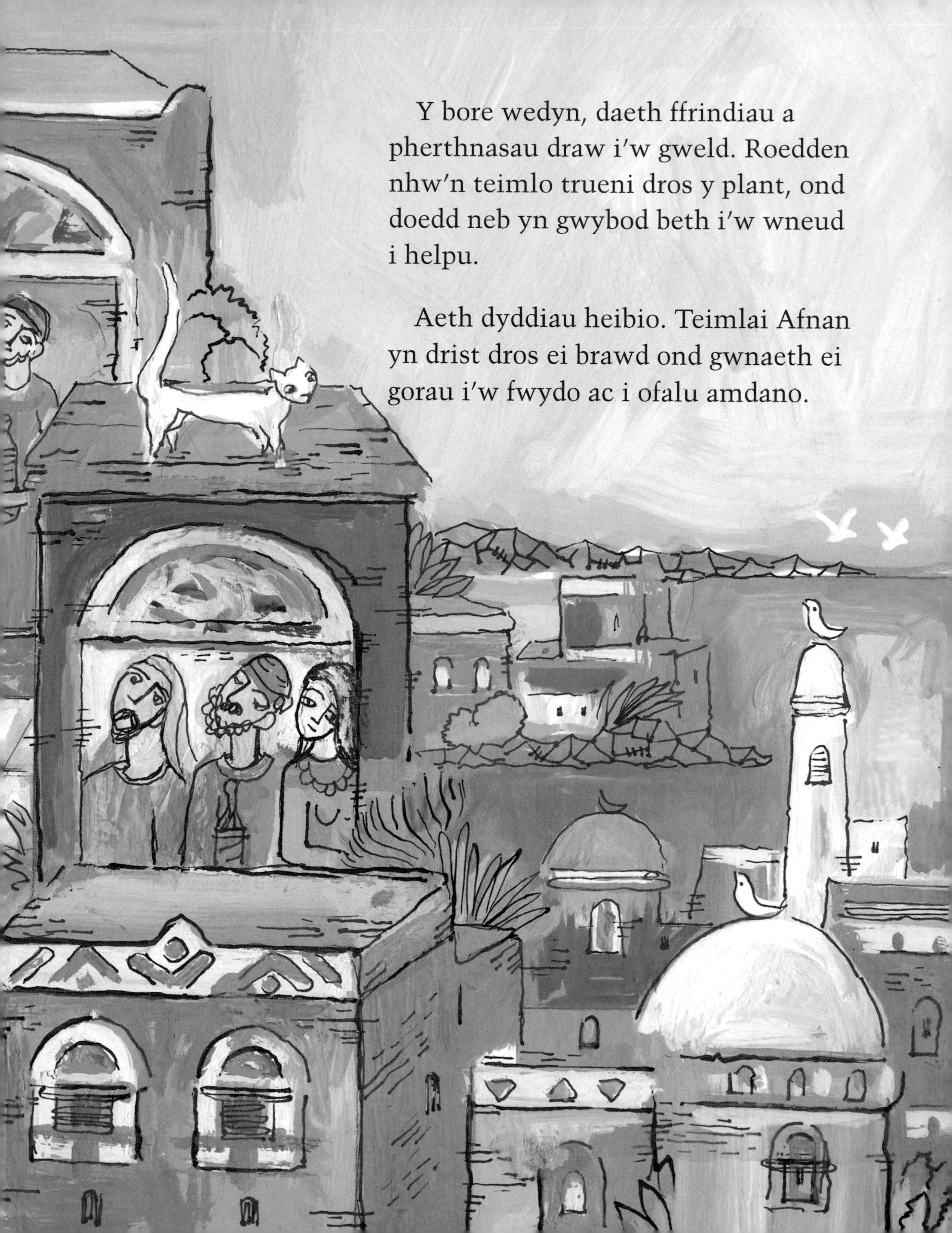

Y bore wedyn, daeth ffrindiau a pherthnasau draw i'w gweld. Roedden nhw'n teimlo trueni dros y plant, ond doedd neb yn gwybod beth i'w wneud i helpu.

Aeth dyddiau heibio. Teimlai Afnan yn drist dros ei brawd ond gwnaeth ei gorau i'w fwydo ac i ofalu amdano.

Aeth wythnosau heibio. Dechreuodd Afnan feddwl a oedd ei thad byth yn mynd i ddod adre. Roedd hi mor drist ac unig.

Gwelodd Ahmad aderyn hardd oedd wedi brifo, yn gorwedd ar do tŷ cymydog. Dringodd i'r to i achub yr aderyn.

'Druan ag e,' meddai Afnan. 'Fe ofala i amdano.'

Bob dydd roedd yr aderyn yn cryfhau, ac yna un prynhawn meddyliodd Afnan iddi glywed rhywun yn siarad. 'Diolch yn fawr,' meddai'r llais.

Edrychodd Afnan o'i chwmpas i weld pwy oedd yn siarad.

'Rwyt ti wedi bod yn garedig iawn,' meddai'r llais.
'Rwyt ti'n gallu siarad,' atebodd Afnan gan grynu.
'Paid â bod ag ofn,' atebodd yr aderyn. 'Am i ti fod mor garedig, dwi am fenthyca fy adenydd i dy frawd. Bydd yn gallu hedfan i'r Môr Disglair a daw adre yn ei ffurf ei hun.'

Roedd y gasél yn gwrando'n astud. 'Diolch, aderyn,' llefodd. 'Ond sut galla i fenthyca adenydd a hedfan?'

Heb ddweud gair, dyma'r aderyn yn tynnu'i adenydd fel petai'n tynnu côt ac yn eu rhoi i'r gasél.

Gwisgodd Sa'ad ei adenydd newydd a dweud 'Hwyl fawr!' wrth bawb. Yna hedfanodd i ffwrdd yn uchel i'r awyr las, a daeth adar eraill i hedfan gydag ef yn gwmni. Ar ôl teithio am oriau ac oriau daethon nhw at y Môr Disglair. Yno roedd pysgodyn cwrel yn disgwyl am Sa'ad. Dringodd ar gefn y pysgodyn a deifiodd y ddau i waelod y môr.

Ar waelod y môr, gwelodd Sa'ad fyd rhyfeddol – pysgod lliwgar o bob math, rhai mawr a rhai bach, yn nofio gyda'i gilydd fel petaen nhw'n dawnsio i ryw gerddoriaeth swynol.

O'r diwedd, dyma Sa'ad yn gweld Brenin y Moroedd yn eistedd ar orsedd aur.

'Croeso i ti, y gasél bychan, Ein gwestai arbennig.'

'Henffych, Frenin Mawr. Diolch am Eich croeso.'

Gwrandawodd y Brenin yn astud ar hanes y gasél, yna pwysodd ymlaen. 'Rhaid i ti aros gyda Ni am saith niwrnod. Yna rhaid i ti yfed o Gwpan y Perlau, a byddi di'n newid yn ôl yn fachgen unwaith eto.'

A dyna'n union a ddigwyddodd. Gwelodd y gasél lawer o ryfeddodau ond yn fuan dechreuodd deimlo hiraeth am ei gartref a'i deulu. Ar noson y seithfed dydd dywedodd y Brenin wrtho am yfed o Gwpan y Perlau. Ar unwaith, diflannodd y gasél ac roedd Sa'ad yn fachgen unwaith eto.

Daeth y pysgodyn cwrel â Sa'ad yn ôl i wyneb y môr, ac meddai Sa'ad wrtho'n hapus, 'Diolch, diolch yn fawr. Doeddwn i ddim yn meddwl y byddwn i'n gweld golau dydd fel bachgen eto. Diolch yn fawr, bysgodyn cwrel – bydda i'n dy gofio di am byth.' Aeth y pysgodyn yn ôl i waelod y môr a dechreuodd Sa'ad deithio adre, gan edrych ymlaen at weld ei deulu.

Pan gyrhaeddodd adre, roedd Afnan ac Ahmad wrth eu boddau. Roedd yr aderyn yn hapus iawn hefyd ac yn sboncio o gwmpas. Tynnodd Sa'ad ei adenydd i ffwrdd a'u rhoi nhw'n ôl iddo gyda diolch.

Dywedodd Sa'ad wrthyn nhw am y Môr Disglair. Dywedodd fod y golau mor gryf, hyd yn oed ar waelod y môr, nes ei fod yn brofiad tebyg i sefyll yn yr haul. Agorodd ei ddwrn ac yn ei law sgleiniai perlau gwyn, pur – anrhegion oddi wrth Frenin y Moroedd. Ond yn fwy na dim, roedd Ahmad ac Afnan yn falch fod Sa'ad wedi dod adre'n ddiogel.

Yn fuan wedyn, daeth Saleh yn ôl o'i bererindod. Pan glywodd hanes Sa'ad, siglodd ei ben ar ei fab a diolchodd i'r aderyn am fod mor garedig. Bendithiodd Ahmad ac Afnan am fod yn ffyddlon ac amyneddgar.

Beth amser wedyn, gofynnodd Ahmad i Afnan ei briodi. Roedd Saleh uwchben ei ddigon. Roedd y briodas yn yr adeilad harddaf yn y dref. Daeth y perthnasau a'r cymdogion i gyd i'r wledd briodas wych ac roedd yr aderyn bach yno'n bwyta'r briwsion. Aeth y dawnsio a'r gerddoriaeth ymlaen hyd oriau mân y bore.

Ac wedi hynny, buon nhw'n byw'n hapus am byth.

Dwylo Dros y Dŵr
Cysylltiadau rhwng Cymru ac Yemen

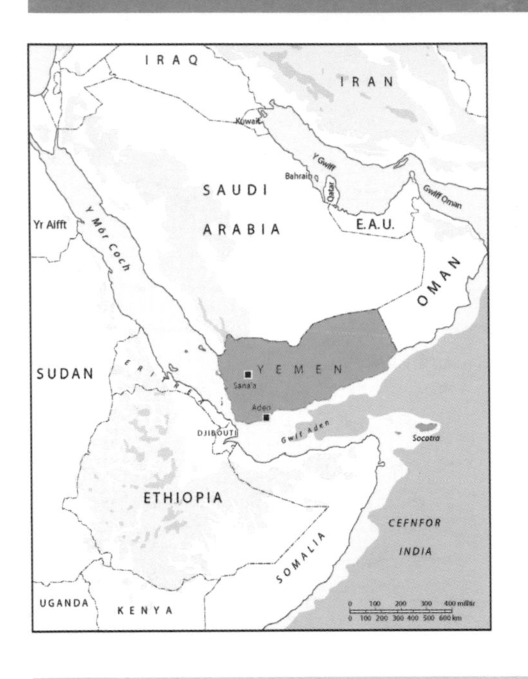

Os edrychwch chi ar fap o'r byd, fe welwch fod Yemen ymhell iawn, iawn o Gymru. Mae Yemen ar bwynt mwyaf deheuol Penrhyn Arabia, yn is na Saudi Arabia a drws nesaf i Oman. Mae gan y wlad hanes hir a thraddodiad o gelfyddyd a phensaernïaeth hardd. Er bod ynddi lawer o fynyddoedd, mae hefyd yn lle da iawn i dyfu bwyd oherwydd mae'n cael digon o law a haul. Dyna pam mae pobl weithiau'n galw Yemen yn 'fasged fara Arabia'. Mae pobl Yemen yn siarad Arabeg ac yn dilyn ffydd Islam.

Ers canrifoedd lawer bu Yemen yn enwog am beraroglau ac am goffi. Yn y bedwaredd ganrif ar bymtheg, pan oedd llongau'n hwylio o Brydain ar hyd y byd, daeth Yemen yn bwysig fel lle i'r llongau ail-lenwi â thanwydd. Câi porthladd Aden ei ddefnyddio fel canolfan i storio glo.

Roedd llongau o Gymru'n mynd â glo allan i Yemen ac yn dod â phobl yn ôl o Yemen i ymgartrefu ym Mhrydain. Dyna sut y cychwynnodd y gymuned Yemeni yng Nghaerdydd. Roedd morwyr Yemeni fel arfer yn gweithio yn ystafelloedd injan y llongau, yn bwydo glo i'r tanau. Gallen nhw ddioddef y gwres tanbaid ac yn aml bydden nhw'n dweud mai glo Cymru oedd 'y gorau yn y byd'.

Sefydlwyd y Gymdeithas Brydeinig–Yemeni yn 1993 er mwyn atgyfnerthu'r cysylltiadau rhwng Yemen a Phrydain. O ganlyniad, mae llawer o arlunwyr o Yemen wedi ymweld â Chymru, gan gynnwys Abdulla al-Ameen, un o arlunwyr pwysicaf Yemen, sy'n gyfrifol am waith celf y gyfrol hon. Mae Abdulla yn briod â Leena Jamil, awdur *Y Llyn Hud*, ac maen nhw'n byw yn Aden gyda'u teulu.

Mae lluniau Abdulla yn *Y Llyn Hud* yn dangos dinas sy'n llawn o adeiladau, tyrau a chromennau hardd, ac yn tynnu sylw at bensaernïaeth arbennig Yemen. Oherwydd hyn cytunodd ARUP, sefydliad rhyngwladol sy'n arbenigo mewn prosiectau adeiladu a pheirianneg, i noddi cynhyrchu'r gyfrol hon. Sefydlwyd ARUP gan Syr Ove Nyquist Arup, a oedd yn awyddus i annog pobl i fod yn greadigol wrth gynllunio adeiladau. Ers blynyddoedd lawer bu gan y cwmni swyddfa ym Mae Caerdydd, y porthladd lle byddai morwyr o Yemen yn cael eu cipolwg cyntaf ar Gymru.